이사부

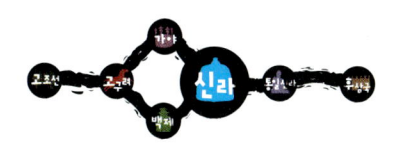

나무 사자로 우산국을 정복하다

원작 김부식 글 구들 그림 김마늘 감수 최광식

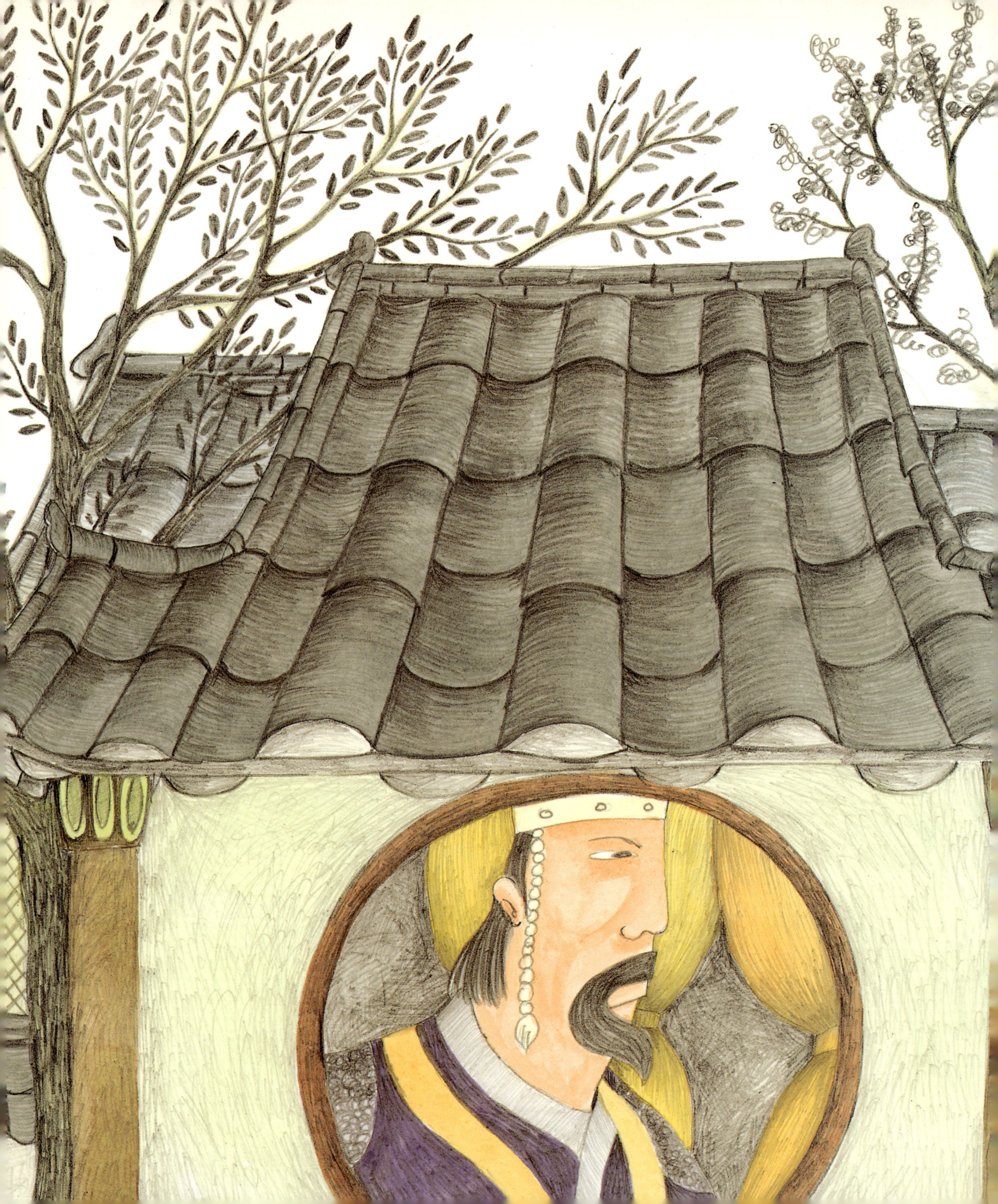

서라벌* 대궐 위로 아침 해가 떠올랐어요.
지증왕은 오늘도 아침 해를 바라보며 한숨을 쉬었어요.
"하늘의 저 해는 우리 신라 바다에서 가장 먼저
뜨는데 어찌하여 신라는 고구려, 백제에 비해
이다지도 약하단 말인가!"
지증왕의 걱정처럼 신라는 고구려와 백제에
비해 나라의 힘이 약했어요.
그러다 보니 고구려와 백제의 침략에
꼼짝없이 당할 수밖에 없었지요.
지증왕은 고구려와 가까운 곳에 있는
하슬라주*가 걱정되었어요.
'하슬라주는 동해와 가까운 곳이다. 북쪽에는 고구려가 있고,
동쪽으로 나가면 우산국*이 있다. 하슬라주를 잃으면
신라는 땅뿐 아니라 바다까지 잃는 것이다.
유능한 장수를 보내 잘 지키도록 해야겠다.'

*서라벌 : 신라의 옛 이름
*하슬라주 : 오늘날의 강릉
*우산국 : 오늘날의 울릉도

지증왕은 고민 끝에 지략이 뛰어나고 용맹하기로 이름난 이사부를
하슬라주에 보내기로 했어요.
"이사부 장군! 그대를 하슬라주 군주로 임명하니 부디 하슬라주를 잘 지켜
신라의 안전과 발전에 도움을 주시오."
지증왕의 말에 이사부는 고개를 숙였어요.
"폐하, 목숨을 걸고 폐하의 뜻을 받들겠나이다."
이사부는 하슬라주 백성들을 잘 다스리고 경비를 철저히 했어요.
이사부는 하슬라주 백성들의 존경을
한몸에 받았지요.

하지만 이사부는 하슬라주의 군주로 만족하지 않았어요.
이사부는 거도*라는, 자신의 선조처럼 신라의 영웅이 되고 싶었어요.
거도는 우시산국*과 거칠산국*을 공격해 신라 땅으로 만들었지요.
'나도 우산국을 정복하여 신라의 영토를 넓혀야겠다.'
이렇게 결심한 이사부는 군사 훈련에 노력을 기울였어요.

*거도 : 신라 제4대 탈해왕 때 활약한 장군
*우시산국 : 오늘날의 울산
*거칠산국 : 오늘날의 부산 동래

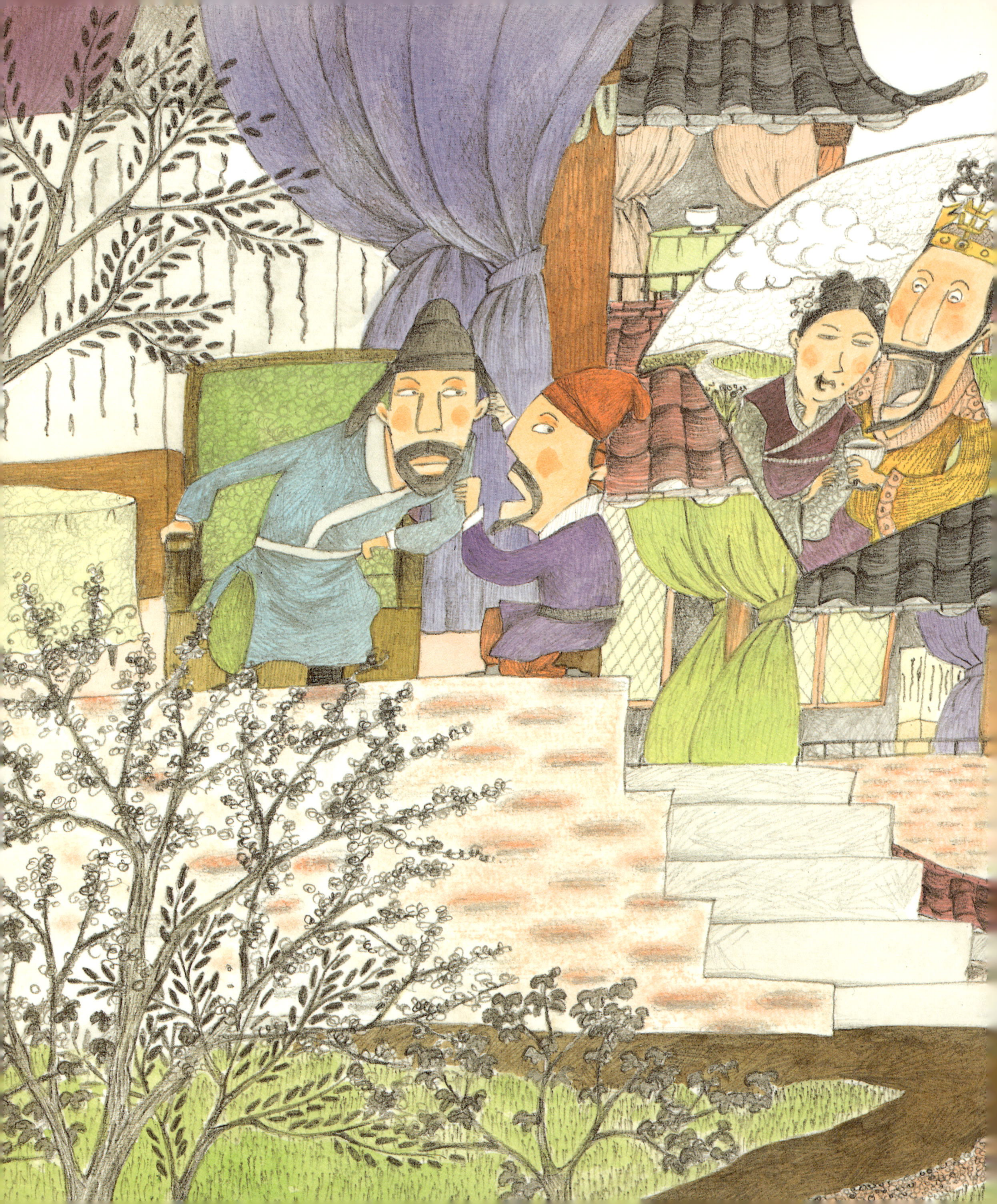

하지만 우산국 우해왕의 수군*은 매우 강했어요.
신라가 우산국을 쉽사리 정복하지 못하는 것도
막강한 수군의 힘 때문이었지요.
그런데 대마도에서 온 풍미녀라는 여인을 아내로
맞으면서 우해왕은 나라를 돌보지 않고
매일 술과 놀이에 빠져 들었지요.
우해왕이 나라를 잘 다스리지 않는다는 소문은
이사부의 귀에도 들어왔어요.
'그래, 지금이 우산국을 공격하기 좋은 때다!'
이사부는 본격적으로 우산국을 정복하기 위한 작전을 세웠어요.

*수군 : 바다를 지키는 군대

우해왕이 나라를 잘 다스리지 않자
살기가 힘들어진 우산국 백성들은 해적이 되어
신라 바닷가 마을에서 마구 노략질을 했어요.
걸핏하면 식량을 빼앗고, 마을에 불을 지르는 통에 신라 백성들은 살기가 힘들었지요.
"폐하! 우산국 해적이 신라 백성을 못 살게 굴어 신라 백성들이 고통을 받고 있습니다.
하루빨리 우산국 해적을 물리쳐 신라 백성을 고통에서 벗어나게 해 주십시오!"
대신들의 간청에 지증왕은 곰곰이 생각하다가 이사부를 떠올렸지요.
지증왕은 주저 없이 이사부를 불렀어요.
"이사부 장군! 그대의 용맹과 지혜는 이미 알고 있소.
그대라면 우산국의 해적을 물리칠 거라 믿소."
"폐하, 이날만을 기다려 왔나이다!"
이사부가 힘차게 대답했어요.

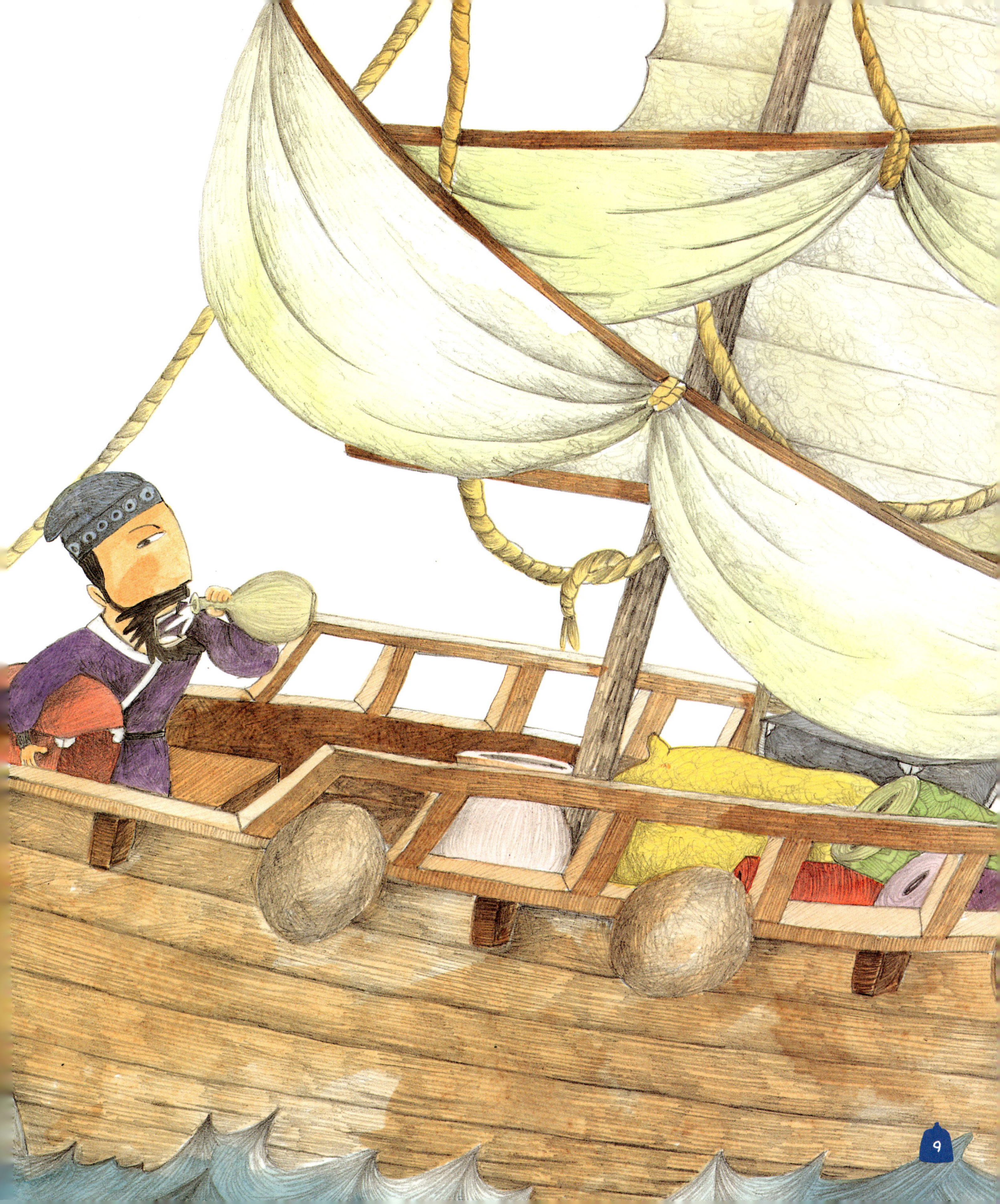

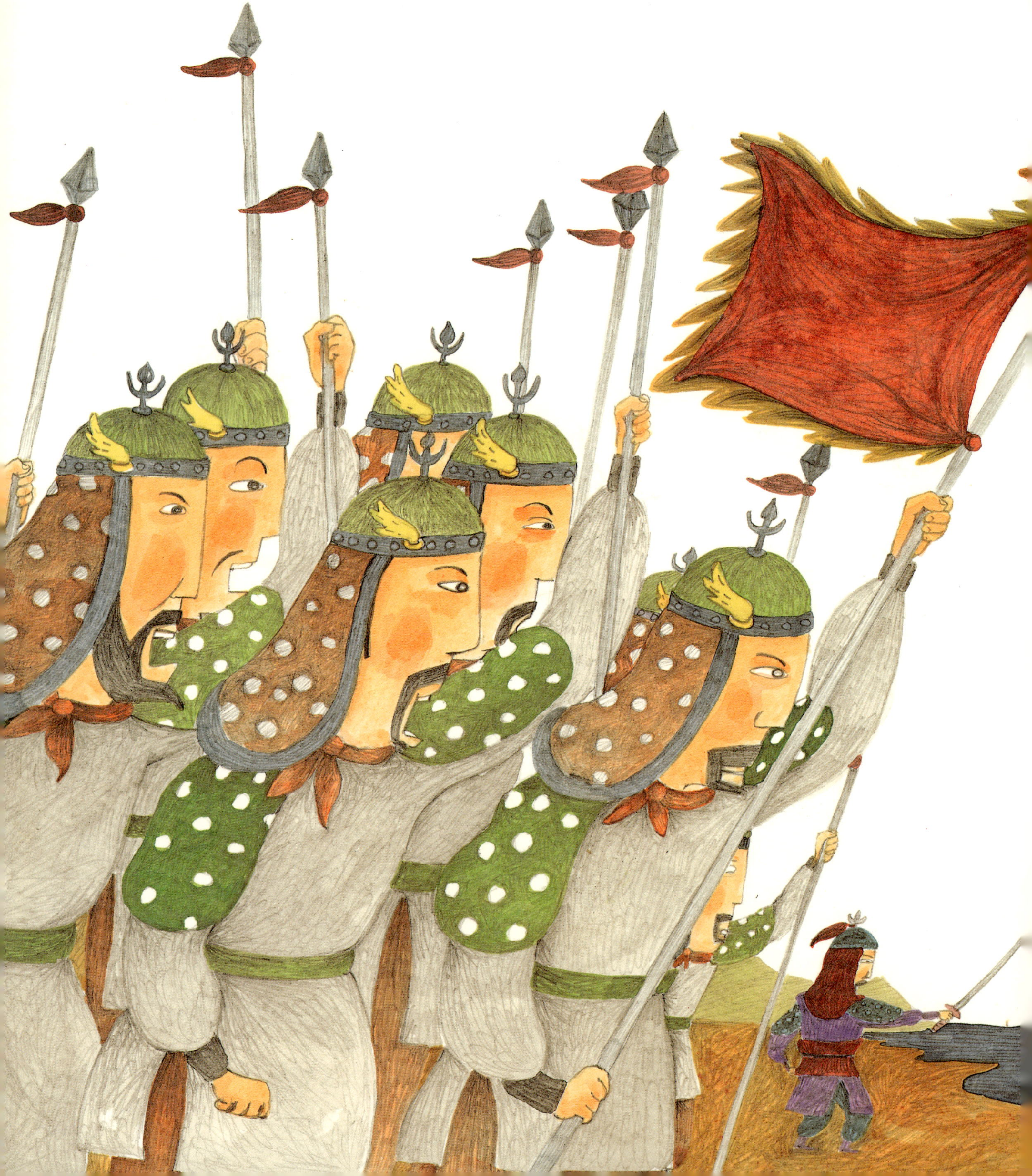

하슬라주로 돌아온 이사부는 곧 군사들을 불러 모았어요.
"우리는 그동안 하루도 거르지 않고 열심히 전쟁 준비를 해 왔다.
이제야말로 우리의 힘을 보여 줄 때다.
우산국의 해적들이 우리 신라의 백성들을 괴롭히고 있다고 한다.
우리의 가족들이 마음 편하게
지낼 수 있도록 우산국의 해적을 무찌르자!"
이사부의 우렁찬 목소리에 군사들이 함성을 질렀어요.
"와! 신라 만세, 이사부 장군 만세!"
하지만 이번 전쟁은 그리 만만하지 않았어요.
신라는 이제껏 고구려와 백제의 침입에 대비해 육군 훈련에만
신경을 쓴 나머지, 수군은 강하지 않았거든요.
그러니 아무리 힘이 약해졌다고는 해도 워낙 강한 우산국 수군과의
전투에서 신라가 승리할 리는 그다지 없었지요.

드디어 우산국을 공격하러 가는 날이 밝았어요.

신라군은 여러 척의 배에 나누어 타고 힘차게 노를 저었어요.

이사부는 뱃머리에서 군사들을 지휘했어요.

"신라의 역사는 오늘을 기억할 것이다.

그대들의 용맹함을 하늘과 땅이 알게 하라!"

동해 바다를 힘차게 나아가던 이사부의 군대는

바다 위에서 미리 기다리고 있던 우산국의 수군과 마주쳤어요.

우산국 군사들은 만반의 준비를 하고 있었지요.

이사부가 신라 군사들을 향해 외쳤어요.

"겁먹지 마라. 우리는 반드시 승리할 것이다!"

와와와!

신라군과 우산국 두 나라의 배가 부딪쳤어요.

신라군은 최선을 다해 싸웠지만

막강한 우산국 수군을

당해 내기란 역시 힘들었어요.

13

이사부는 분통을 터뜨렸어요.

"우산국에 지다니, 분하다!"

이사부는 하루에도 몇 번씩 동해로 달려가 우산국을 바라보며 주먹을 불끈 쥐었어요.

그날도 이사부는 우산국을 생각하며 거리를 걷고 있었어요.

그때 길 한쪽에서 요란한 음악 소리와 웃음소리가 들려왔어요.

챙강챙강챙강.

빌릴리빌릴리.

이사부는 소리가 나는 쪽으로 발길을 돌렸지요.

그곳에서는 북청사자놀이*가 한창이었어요.

길 한복판에서 무서운 사자탈을 쓴 광대들이

사람들과 어울려 놀고 있었지요.

광대들이 쓰고 있는 탈을 유심히 바라보던 이사부의 머릿속에

갑자기 기발한 생각이 떠올랐어요.

"그래, 바로 저거야. 이제 우산국을 물리칠 수 있어."
이사부는 호탕하게 웃음을 터뜨렸어요.

*북청사자놀이 : 음력 1월 15일 대보름날에 잡스러운 귀신들을 물리치기 위해 사자탈을 쓰고 집집마다 다니며 춤을 추는 민속놀이

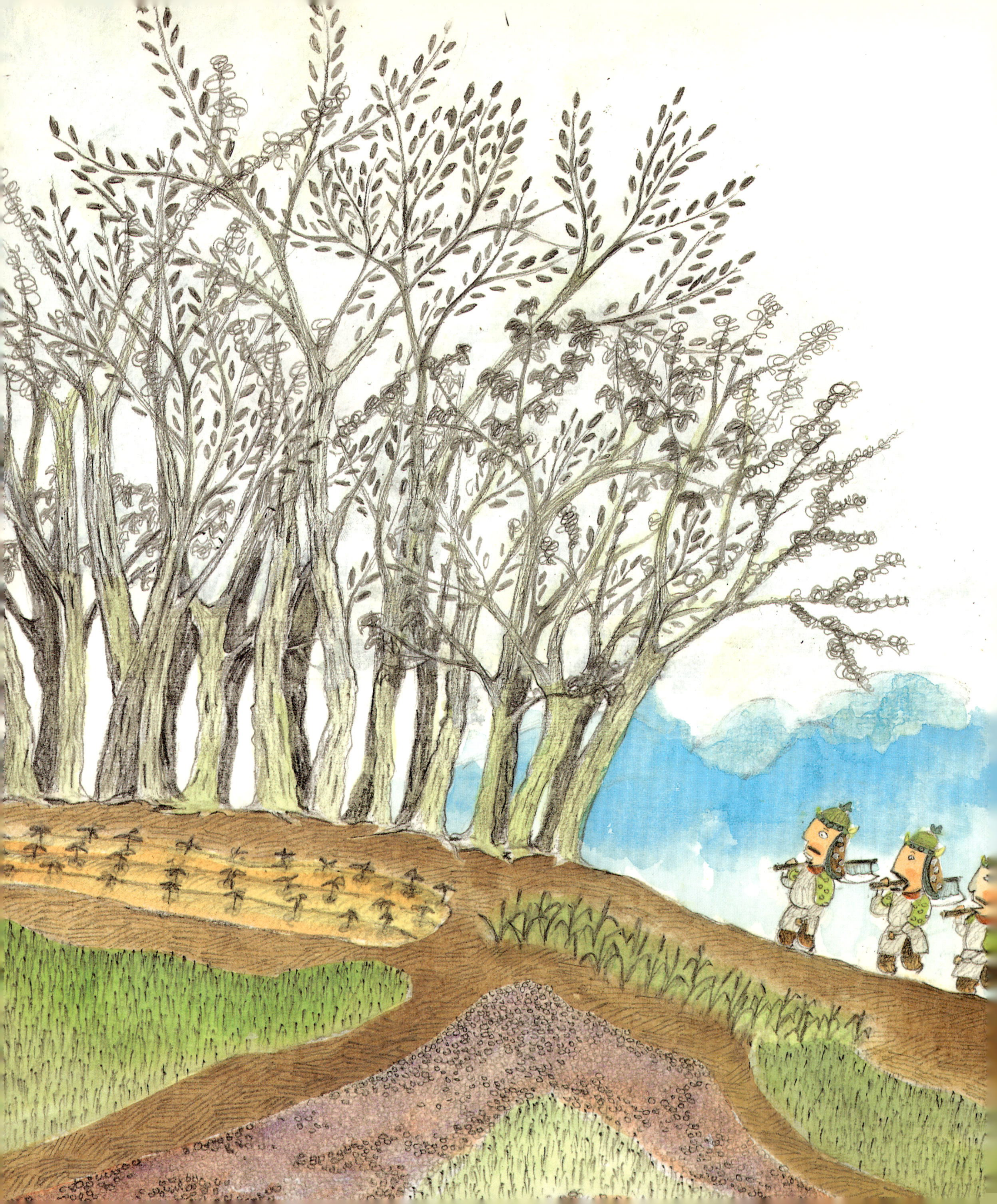

이사부는 군사들을 불러 모았어요.

"그대들은 숲으로 가서 통나무를 베어 오도록 하라."

군사들은 어리둥절한 얼굴로 이사부를 바라보았지요.

"나무는 베어다가 어디에 쓰시려고 그러십니까?"

"두고 보면 알 것이다. 나무 중에서도 아름드리 큰 나무들로 골라 베어 오너라."

군사들은 영문도 모른 채 나무를 베러 숲으로 갔어요.

"도대체 나무를 베어다가 무엇을 하시려는 걸까?"

"누가 아니래? 우산국 해적을 무찌르는 것이 급한데 왜 이런 일로 시간을 낭비하는지 모르겠군."

군사들은 불만이 가득했지만 어쩔 수 없이 나무를 베어 날랐어요.

어느새 군사들이 베어 온 나무들이 마당 안에 가득했어요.

이사부는 흐뭇한 미소를 지었지요.

"수고했다. 그대들의 수고가 장차 신라를 일으킬 것이다."

이사부는 군사들 앞에 북청사자놀이에 쓰이는 탈을 높이 들어 보였어요.

"이 탈이 보이느냐? 바로 동물의 왕 사자다. 지금부터 이 나무들을 잘라 이것과 똑같은 사자탈을 만들어라. 아무리 용감한 남자라 해도 벌벌 떨 정도로 크고 무섭게 만들어야 하느니라."

"장군님! 사자탈을 무엇에 쓰시려고 하십니까?"

"때가 되면 알게 될 것이다."

군사들은 고개를 절레절레 저었어요.

군사들은 불평을 하면서 나무를 깎아 사자탈을 만들고 커다란 몸통을 붙였어요.

19

며칠 내내 군사들은 사자탈을 만들었어요.

백성들은 너도나도 모여들어 이 광경을 구경했어요.

드디어 마당은 나무 사자들로 꽉 찼어요.

나무 사자들은 한눈에 보기에도 무섭고 사나워

만든 군사들조차도 움찔 놀랄 정도였지요.

"이제 곧 나무 사자를 만든 까닭을 알게 될 것이다."

이사부는 장난스러운 표정으로 말했어요.

"어때, 이 사자가 무서워 보이느냐?"

군사들은 어떻게 대답해야 할지 몰라 그저 어리둥절해했지요.

"이 사자가 우산국을 정복할 것이니 나무 사자들을 모두 배에 실어라."

군사들은 더욱더 혼란스러웠지요.

"우산국을 정복하러 간다더니 우산국 수군들하고
북청사자놀이라도 하자는 거야, 뭐야?"
군사들은 투덜대며
나무 사자를 배에 실었답니다.

나무 사자를 실은 신라의 배는 우산국을 향해 푸른 물결을 가르며 나아갔어요.

배의 앞머리에는 신라 군사들이 만든 매서운 표정의 나무 사자가 매달려 있었어요.

신라의 배가 우산국 근처에 이르렀을 때 이사부는 우산국에 전령*을 보냈어요.

'우산국의 우해왕은 들으라. 그대가 지금이라도 신라에 항복하면 목숨만은 살려 줄 것이다.

그러나 신라에 맞서 싸우려 한다면 그대는 물론 우산국의 백성들도 죽음을 면치 못할 것이다!'

이사부가 보낸 편지를 읽은 우산국의 우해왕은 큰 소리로 웃었어요.

"하하하! 가소롭기 짝이 없군. 정 그렇다면 우산국 수군의 위력을 보여 주마!"

하지만 우산국의 군사들은 조금씩 불안해했어요.

"이번에는 뭔가 다른 것 같아. 신라 수군의 분위기가 심상치 않아.

이사부 장군이 단단히 벼르고 온다는데……."

*전령 : 명령을 전달하는 임무를 띤 군사

23

우해왕의 대답을 전해 들은 이사부가 미소를 지었어요.
곧이어 바다 반대쪽에서 우산국의 배가 나타났지요.
우산국 군사들은 신라의 뱃머리에
앉아 있는 것을 보고 깜짝 놀랐어요.

"저게 뭐야, 사자야? 귀신보다 더 무섭게 생겼잖아!"

그때였어요.

무시무시한 나무 사자의 입에서 '훅' 하고 뜨거운 불길이 뿜어져 나왔지요.

우산국 군사들은 겁에 질려 더 이상 앞으로 나아갈 수가 없었어요.

"도대체 저게 뭐야? 무시무시한 짐승이 우리를 잡아먹고 말 거야. 어서 항복하자!"

갑판 위에 선 이사부가 당당하게 우해왕을 노려보았어요.

"우해왕은 들으라! 지금 당장 칼을 버리고 항복하지 않으면
이 무서운 짐승을 우산국에 풀어 너희들을 잡아먹게 할 테다!
살고 싶으면 당장 항복하라."

이사부의 호령이 떨어지는 동시에 신라군이 쏜 화살이
우산국 군사들이 탄 배를 향해 쏟아졌어요.

겁에 질려 허둥대던 우산국 군사들은 어쩔 줄 몰라 했어요.

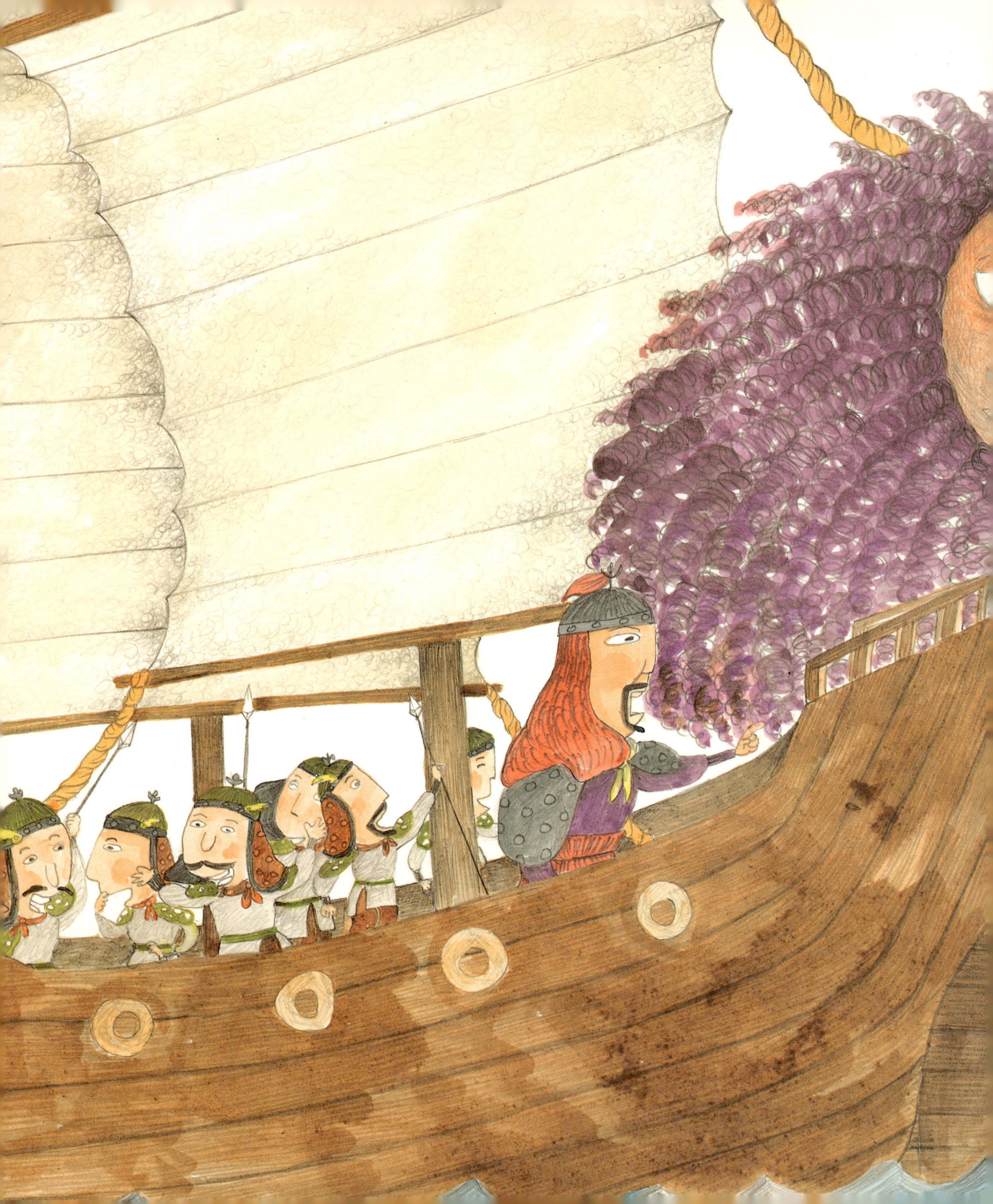

우해왕은 마지막 힘을 다해 명령했어요.

"겁먹지 말고 공격하라! 신라군을 막아라!"

하지만 겁에 질린 우산국 군사들은 배를 돌려 후퇴하기 시작했어요.

"도망가지 마라! 싸워라, 마지막까지 싸워라!"

하지만 아무런 소용이 없었어요.

절망에 빠진 우해왕은 그 자리에 털썩 주저앉았어요.

이사부의 배가 다가왔어요.

"우해왕이여, 이제 싸움은 끝났다. 항복하라!"

우해왕은 그제서야 항복의 뜻으로 투구를 벗었어요.

"이제 우산국은 우리 신라 땅이다!"

이사부의 말이 끝나기가 무섭게

신라 군사들이 환호성을 질렀어요.

"와와와, 이사부 만세! 신라 만세!"

마침내 우산국은 신라의 땅이 되었어요.
이사부는 지혜를 발휘하여 적을 물리쳤기 때문에
죽거나 다치는 사람 없이 평화롭게 우산국을 손에 넣었어요.

이 소식을 들은 지증왕은 몹시 기뻐했어요.

"무예가 뛰어난 자도 훌륭하지만 지혜로운 자는 더 훌륭하다!

이사부야말로 진정 훌륭한 장수로다!"

이제 신라 사람들은 누구나 자유롭고 안전하게 바다에서 고기잡이를 할 수 있게 되었어요.

또, 바닷가 근처의 백성들도 안심하고 살 수 있게 되었지요.

지금도 울릉도 앞바다에 가면 투구봉과 사자 바위를 볼 수 있는데

전해 오는 이야기에 따르면 우해왕이 벗었다는 투구가 투구봉이 되었고,

이사부가 만든 나무 사자가 사자 바위가 된 것이라고 해요.

나무 사자로 우산국을 정복한

이사부

이사부는 신라 제22대 지증왕 때부터 제24대 진흥왕 때까지 활약한 장군입니다. 지증왕은 야망이 컸어요. 신라 영토를 넓히고 싶었지만 고구려와 백제에 치어 서쪽으로도 북쪽으로도, 진출하지 못했던 지증왕이 눈을 돌린 곳은 바로 동해입니다.

그 당시 동해에는 우산국이 있었어요. 우산국은 오늘날의 울릉도와 독도 지역에 해당합니다. 지증왕은 우산국을 손에 넣고 싶었지만, 당시 신라의 배로 울릉도까지 가는 것은 매우 어려운 일이었습니다. 게다가 우산국의 수군은 뛰어난 실력을 갖추고 있어 신라의 수군으로 당해 내기는 어려웠어요. 바로 그때 이사부는 나무 사자로 눈속임을 하여 지혜롭게 우산국을 정복한 것이지요.

이것은 역사적으로 매우 중요한 의미를 가집니다. 바로 오늘날 우리나라와 일본 사이에서 문제가 되고 있는 '독도'가 오래전부터 우리 땅이었다는 것을 말해 주기 때문이지요.

일본은 울릉과 우산이 모두 울릉도를 가리키는 말이라고 주장합니다. 그러나 조선 시대에 독도를 우산도, 자산도, 삼봉도, 가지도 등의 네 가지 이름으로 불렀다는 기록이 있어 우산국이 단순히 울릉도만을 가리키는 것이 아니라 독도와 울릉도를 합쳐서 불렀던 지명임을 알 수 있지요. 따라서 이사부가 우산국을 정복함으로써 오늘날의 울릉도와 독도는 우리 땅이 될 수 있었던 것입니다.

「이사부는 나무 사자를 만들어 우산국을 정복했어요」

기원전 57년
신라 건국

437년
지증왕
신라 제22대 왕 즉위

512년
이사부
우산국 정복

514년
법흥왕
신라 제23대 왕 즉위

527년
이차돈의 순교로
불교 공인

532년
금관가야 정복

540년
진흥왕
신라 제24대 왕 즉위

이사부와 관련 있는 인물들

지증왕 : 신라 제22대 왕

내물왕의 증손자로 왕위에 있었던 기간은 500~514년입니다. 503년 국호를 '신라'로 바꾸고, 왕을 뜻하는 마립간의 칭호 대신 정식으로 '왕'이라고 칭하게 하는 등 국가 체제를 정비하였습니다. 512년에 장군 이사부에게 명령을 내려 우산국을 정복했습니다.

거도

신라 제4대 탈해왕 때의 장군으로 신라를 괴롭히는 우시산국(지금의 울산 지방)과 거칠산국(지금의 부산 동래 지방)을 정복했습니다. 많은 말을 벌판에 모아 놓고 군사들로 하여금 말을 타고 달리며 노는 마숙놀이를 하는 척하다가 우시산국과 거칠산국을 양면으로 기습하여 멸망시켰습니다.

알고 싶은 요모조모

울릉도에는 언제부터 사람들이 살았을까요?

최근 울릉도에서 고인돌과 엄청난 거석, 무문토기, 그리고 갈돌과 갈판 등이 발견되었어요. 학자들은 발견된 유물들을 조사하다가 깜짝 놀랐습니다. 유물들이 만들어진 시기가 기원전 천 년까지 거슬러 올라간다는 걸 알아냈기 때문이지요. 이 유물들은 정말 오래전부터 울릉도에서 사람들이 살기 시작했다는 것을 알려 줍니다.

- 660년 백제 정복
- 668년 고구려 정복
- 676년 삼국 통일 / 통일 신라 시대 시작
- 751년 불국사 창건
- 828년 청해진 설치
- 935년 신라 멸망

궁금증을 풀어 주는 미로여행

Q1 북청사자놀이란 무엇인가요?

Q2 우리 민족은 언제부터 탈을 쓰기 시작했나요?

Q3 신라 시대에도 사자가 있었나요?

Q4 삼국 시대에도 해군이 있었나요?

학자들은 **신석기 시대** 이전부터 우리 민족이 탈을 썼다고 주장해요. 실제로 부산 동삼동과 강원도 양구에서 조개껍데기로 만든 탈과, 흙을 구워 만든 탈이 발견되었지요. 《동경잡기》라는 책에는 신라에 '검무'와 '처용무'라는 탈춤이 있었다고 적혀 있습니다.

수군이라 불리던 해군이 있었어요. 광개토대왕이 배를 타고 와 신라를 침략한 왜구를 물리쳤다는 기록을 살펴볼 수 있지요. 또 이사부가 우산국을 정벌한 사실 역시 신라에 수군이 있었다는 것을 보여 주는 것이지요. 신라는 '선부'라는 관직을 두어서 배를 관리했다고 해요.

실제로 신라 사람들이 사자를 보았을 것 같지는 않아요. 기록에 의하면 사자놀이 같은 민속놀이가 삼국 시대부터 전해 내려오고 있는데, 아마도 삼국 시대부터 **중동상인**들과 왕래를 하면서 신라 사람들이 사자를 알게 된 것 같아요.

함경남도 북청군에서 정월 대보름에 행해지던 민속놀이입니다. 현재 중요무형문화재 제15호로 지정되어 보존되고 있지요. 집 안에서 풍물을 치고 사자를 놀리면 잡귀가 물러나 **나쁜 기운을 막고 복을 불러들인다**고 해요. 또 아이를 사자에게 태워 주거나 사자 털을 몰래 베어 두면 무병장수한다고 하는 이야기도 전해 내려오지요.